1.ª edición: abril 2014
8.ª edición: enero 2018

© Del texto y de las ilustraciones: Álvaro Núñez,
Alberto Díaz y Miguel Can, 2014
© De esta edición: Grupo Anaya, S. A., Madrid, 2014
Juan Ignacio Luca de Tena, 15. 28027 Madrid
www.anayainfantilyjuvenil.com
e-mail: anayainfantilyjuvenil@anaya.es

ISBN: 978-84-678-6118-1
Depósito legal: M-5007-2014

Impreso en España - Printed in Spain

Las normas ortográficas seguidas son las establecidas por la Real Academia
Española en la *Ortografía de la lengua española* publicada en 2010.

ÁLVARO NÚÑEZ – ALBERTO DÍAZ – MIGUEL CAN

LECHUZA DETECTIVE

EL ORIGEN

ANAYA

Soy Carla Ventura, la mejor detective del mundo mundial. Las galletas de chocolate me vuelven loca, así que si algún día desaparecen de vuestra mochila, ¡no dudéis en llamarme!

Mi hermano, Marcos

Ramón Feroz

Mi abuela, Nana

Mi padre, Sergio

Mi abuelo, Carlos

Mi abuela, Violeta

Mi madre, Aurora

Mi perro, Can

Mis hermanitos, Nico y Nora

¡Me encanta mi familia!, es muy peculiar. Ya la iréis conociendo poco a poco... (¿A que me salen bien las fotos?)

A mi padre no le gusta nada que investigue.

A mi abuelo Carlos, aventurero jubilado, le encanta porque le recuerdo a él cuando era joven.

Todo esto, junto a mi traje y a mi afición por los cómics de mi admirado Detective Misterio, me han convertido en... ¡la Lechuza Detective!

Y este es César Ulises «Ratón», el compañero perfecto para mis aventuras.

¿Queréis saber cómo me transformé en superheroína? ¡Pues no os perdáis este libro lleno de aventuras y acción!

EL MISTERIO DEL BOCADILLO DESAPARECIDO

Odio los lunes por la mañana.

El fin de semana pasa tan deprisa... Sin darte cuenta llega el lunes y ¡zas! ¡Se acabó la alegría!

Sé que tengo que estudiar mucho para ir a la Academia de Detectives cuando sea mayor, pero ¿no sería mejor que las semanas empezasen los martes?

Por si esto no fuese suficiente, el menú del comedor de los lunes consiste en acelgas y platusa a la plancha. ¡Puaj! Ni al peor de los villanos a los que se tiene que enfrentar el Detective Misterio en sus cómics se le ocurriría un menú tan maligno.

Para compensar tantas desgracias y defender mi estómago de las amenazas, todos los lunes meto en mi mochila dos sándwiches de pollo y un paquete de galletas *Chococrujientes*, mi almuerzo favorito.

Además, si por casualidad me quedo con hambre, sé que siempre puedo contar con medio bocadillo de Manolito Pocacosa.

La madre de Manolito le prepara unas impresionantes «flautas» de media barra de pan rellenas de las más deliciosas exquisiteces. Las tendríais que ver. Sin embargo, Manolito no es de mucho comer y, siempre que se lo pido, está encantado de compartir su almuerzo conmigo.

Ese lunes, Manolito buscaba y rebuscaba por la mochila. Todos los demás estaban saliendo al recreo con sus almuerzos y yo empezaba a desesperarme porque Manolito no encontraba el suyo.

Ya me había comido todas mis galletas *Chococrujientes* en clase sin que don Eriberto se diese cuenta, y aunque me quedaban los sándwiches de pollo, sabía lo que me esperaba a la hora de comer: acelgas y platusa. ¡Necesitaba encontrar el bocadillo de Manolito si no quería morir de hambre!

Eché a un lado a Manolito y me puse a buscar yo. Nadie en el mundo supera mis poderes a la hora de encontrar comida. Ni siquiera mi perro Can. Después de una rápida ojeada me di cuenta de que allí no quedaba ni rastro del almuerzo.

Tal como recomienda siempre el Detective Misterio, intenté controlar mis nervios para poder pensar mejor. Era lunes y me había quedado sin la mitad del bocadillo de Manolito, pero tenía que ver el lado positivo del asunto: delante de mí se presentaba un estupendo misterio esperando a ser resuelto.

—Manolito, te han robado el bocadillo. ¡No se te ocurra tocar nada! Estamos en la escena de un crimen y cualquier pista puede ser vital.

Las evidencias eran claras hasta para una detective novata como yo. El ladrón había dejado el envoltorio en el suelo y por todas partes había migas de pan. Eso dejaba claro que el almuerzo consistía en un bocadillo. Pero un bocadillo ¿de qué?

En el ambiente flotaba un intenso olor a pimentón dulce y ajo. Para alguien inexperto en comida eso no significa nada, pero yo sabía muy bien que esos son los ingredientes del chorizo ibérico.

¡Qué horror! ¡Robar un bocadillo de chorizo es un crimen abominable!

—Manolito, el bocadillo es de chorizo.

—Ya lo sabía. Mi madre me lo dijo esta mañana.

—¿Por qué no me lo habías dicho?

—Es que no me lo habías preguntado.

Aquel era un misterio muy difícil de resolver. Mi «cliente» apenas me daba información y las pistas que teníamos eran una birria. Si al menos hubiera huellas de zapatos en el suelo, todo sería más fácil. Bastaría con seguirlas hasta el culpable. Las huellas siempre delatan al criminal...

¡Claro! Me había olvidado de las huellas digitales. Todo el mundo deja las huellas de sus dedazos por todas partes. No se ven a simple vista, pero están ahí.

Los policías de la tele las pintan con tinta oscura y las hacen visibles. Después, las ponen en un plástico transparente y se las llevan a un laboratorio para examinarlas tranquilamente. ¡Así sabríamos quién había metido la mano en la mochila de Manolito!

Yo nunca había recogido huellas sospechosas, pero pensé que estaría chupado hacerlo. Solo teníamos que conseguir tinta.

—Manolito, necesitamos un boli azul para pintar las huellas digitales. Como los policías de la tele.

—A mí eso me parece muy difícil, Carla. ¿Por qué no nos olvidamos del bocadillo? Yo no tengo hambre...

—Manolito, ¡un buen detective nunca abandona! No solo está en juego nuestro almuerzo, también nuestro honor. Haz el favor de romper un boli azul para sacarle la tinta. ¡Esto no puede fallar!

¿Cómo decirlo? Aquello se nos fue un poco de las manos. ¡Es increíble lo que da de sí un boli azul!

—Ahora tendríamos que comparar las huellas de la mochila con las de todos los de la clase para ver quién es el culpable. Habría que descartar a los que han tocado tu cartera pero no pueden ser culpables, como don Eriberto, tu padre, tu madre, tus hermanos, yo misma... ¡La verdad, Manolito, es que hay mucha gente que te hurga en la mochila!

—¡Pero hacer todo eso nos va a llevar años! —dijo Manolito— ¡Además, tenemos que limpiar todo esto antes de que se entere don Eriberto!

Mi «cliente» tenía razón. Había que olvidarse de las huellas y buscar otra estrategia.

—Manolito, cambio de planes. Ocúpate de limpiar todo este desastre antes de que aparezca don Eriberto. Yo bajaré al patio a interrogar a los sospechosos.

Mientras Manolito se quedaba en clase frotando la tinta azul con su camiseta y su saliva, yo vigilaba el patio en busca de los «sospechosos habituales». En las pelis policiacas los llaman así porque siempre cometen delitos y al final uno de ellos es el culpable del crimen.

A los abusones del cole se los distingue perfectamente...

Los «sospechosos habituales» de mi clase son Margarita, Federico, Cristina e Isidro. Para averiguar quién de los cuatro era el culpable, tenía que interrogarlos.

La tarea no era nada fácil. Solo de pensar en enfrentarme a ellos me temblaban las piernas. En cuanto les preguntara: «¿Por casualidad, no habrás sido tú el que ha robado el bocadillo de chorizo de Manolito?» iba a caerme un tortazo por cada sospechoso. Es decir, cuatro.

No merecía la pena que me rompieran las gafas por medio bocadillo de chorizo, por muy rico que estuviera. Además, con el tiempo que habíamos perdido en clase con la tontería de las huellas, el ladrón ya estaría haciendo la digestión.

De repente me asaltó una idea: ¿recordáis los ingredientes del chorizo? Efectivamente, el ajo y el pimentón. Bien, pues tienen un sabor tan fuerte que cuando lo comes, el aliento que se te queda es muy pero que muy peculiar.

Si el ladrón había probado el bocadillo estaba perdido. ¡Su aliento lo delataría! Pero había un pequeño problema: ¿cómo conseguiría convencer a mis «sospechosos habituales» de que me echaran el aliento sin jugarme el pellejo? Ojalá tuviera ya sus alientos empaquetados y listos para analizarlos sin peligro, como hace Detective Misterio en su laboratorio. ¡Necesitaba un plan para conseguir esas muestras!

No había que ponerse nerviosa. El recreo estaba a punto de terminar y a mi lado algunas niñas de infantil no paraban de hinchar globos como locas para una fiesta de cumpleaños. Intenté concentrarme en la investigación y no perder el tiempo imaginando la tarta de chocolate y nata de tres pisos que les estaba esperando. ¡Así no se podía pensar!

—¿Queréis estaros quietas con los globitos?

¡Un momento! ¡Los globos! ¡Ya lo tenía! ¡Era un plan genial!

Me ofrecí para ayudarlas a hinchar todos los globos, y en cuanto se despistaron cogí un puñado, me los metí en el bolsillo y salí de allí a toda pastilla en busca de mis sospechosos.

¡Había comenzado la misión de los alientos plastificados!

TRAS LA PISTA
DEL CHORIZO

L o bueno de tener un cole tan pequeño es que no te cuesta encontrar en el patio a quien estés buscando. Aunque sean los más peligrosos...

FEDERICO, DICE LA PROFE DE TEATRO QUE SI PUEDES HINCHAR TÚ SOLO ESTE GLOBO, TIENES PULMONES DE SOBRA PARA CANTAR EN LA PRÓXIMA FUNCIÓN.

UMMM...

¿PUEDO YO TAMBIÉN?

CRISTINA, DICEN POR AHÍ QUE NO ERES CAPAZ DE HINCHAR ESTE GLOBO. YO CREO QUE SÍ, PERO YA SABES CÓMO ES LA GENTE. NECESITA PRUEBAS.

QUE SI PUEDO YO HINCHAR UN GLOBO...

ME PARECE BUENA IDEA... ADEMÁS, TE LO VOY A HINCHAR MUCHO MÁS QUE TODOS ESOS QUE LLEVAS AHÍ...

GENIAL... GENIAL...

PFFFF...

HASTA LE VOY A PONER MI NOMBRE, PARA QUE SEPAN QUE ME TIENEN QUE DAR SU COMIDA...

Y PARA QUE TODOS SE LO TOMEN MUY EN SERIO, DAME TU ALMUERZO EL PRIMERO... ¡QUE SOPLAR ME DA MUCHA HAMBRE! JE, JE...

ISIDRO

Por fin tenía atrapados los alientos de los sospechosos, aunque me habían costado los dos sándwiches de pollo que me quedaban. ¡Qué injusticia!

¡Seguro que el ladrón se había zampado entero el bocadillo de chorizo, y yo casi en ayunas! Encima, tanto ir y venir me había dado una sed tremenda, y cuando llegué a la fuente...

En ese momento, sonó el timbre para volver a clase. ¡Mi recreo había sido una auténtica porquería! Volvía con el estómago vacío y la boca seca, resignada a hacer ejercicios de Matemáticas. ¡Qué duro resultaba ser detective profesional!

Manolito, con la camisa y la cara llena de tinta de boli, me miró con espanto cuando pasé por su pupitre con los cinco globos cogidos de las manos. Como me sentaba en la última fila, podría examinarlos sin que don Eriberto me viera.

Empecé a deshacer los nudos para oler su contenido uno a uno. Todos olían un poco a plástico. El primero que abrí olía a «plástico con chicle de fresa». El segundo, si mi nariz no me engañaba, era de «aroma de plástico con chocolate». El tercer globo que caté, me supo a «plástico con rosquillas de azúcar y crema». El cuarto tenía un evidente y característico tufo a chorizo (con un poco de plástico)... El último globo, el más grande, no pude olerlo. Estaba tan hinchado que se me reventó cuando intentaba desatarlo...

No había visto nunca a don Eriberto tan enfadado. Tuve que pasarme el resto del curso en la primera fila, frente a su silla.

Mientras me cambiaba de sitio y escuchaba las risitas de mis compañeros, mi cara seguía roja como un tomate. Me daba igual: ¡había resuelto mi primer caso! ¡La misión de los alientos plastificados había funcionado!

Al salir de clase, le expliqué a Manolito quién nos había dejado sin su almuerzo. Detective Misterio siempre dice que para ser buen investigador hay que evitar dejarse llevar por los prejuicios. Tiene toda la razón. En el futuro, Manolito tendrá que andar con cuidado y evitar que Edelmiro se acerque demasiado a su mochila. Sobre todo, los lunes.

El caso estaba cerrado.

Sonriendo, me despedí de mi primer «cliente». Estaba muerta de hambre y no me quedaba más remedio que ir al comedor a devorar las acelgas y la platusa a la plancha del menú de los lunes. ¡Puaj!

INJUSTICIA
«CHOCOCRUJIENTE»

A los superhéroes no les gusta madrugar, estoy segura, y a mí tampoco.

No me puedo imaginar al Hombre Murciélago o al Detective Misterio resolviendo casos a las nueve de la mañana... Pero esto no parece convencer a mi padre, por mucho que se lo diga todos los días camino del colegio. Siempre me contesta que tendría que utilizar mi imaginación para cosas más provechosas como estudiar, en vez de para inventar excusas y ocurrencias de perezosa.

El caso es que el martes...

CLARO... CLARO... «QUE ESTUDIE MÁS E IMAGINE MENOS»... VALE, PAPÁ, BUENAS NOCHESSS...

Cuando llegué a clase, sofocada y con las rodillas sucias, me encontré con otra inquietante sorpresa. Edelmiro, Aitana y César Ulises no habían venido al colegio.

Que faltara un alumno a clase podía ser normal. Que faltaran dos era raro pero posible. ¡Pero que faltaran tres alumnos el mismo día! Eso solo podía responder a un misterio que alguien tenía que desvelar inmediatamente.

Eran las diez de la mañana y ya tenía entre manos un nuevo caso. Seguro que el Detective Misterio seguía en la cama. En los tebeos siempre trabaja de noche para desbaratar los malignos planes de los criminales.

¿Qué les había pasado a Edelmiro, Aitana y César Ulises? Mientras hacía los ejercicios no podía pensar en otra cosa.

¿Se habían convertido en vampiros y por eso no podían venir al colegio de día?

¿Habían formado una banda de ladrones de bancos? El día anterior Edelmiro le había robado el bocadillo a Manolito. Bien podría haber empezado así su «carrera delictiva».

No sabía qué pensar.

Al recordar el bocadillo de Manolito me entró mucha hambre. El oficio de detective es muy duro, así que tenía que comer algo para poder pensar mejor. Aproveché que el profe estaba hablando con Isidro en el otro extremo de la clase y abrí mi mochila en busca de una de mis galletas *Chococrujientes*. Pero nada. El paquete de galletas no estaba. Y eso que recordaba perfectamente haberlas puesto allí dentro.

Una horrible idea se me vino a la cabeza...

¡Mi propio almuerzo! ¡Mis galletas preferidas, robadas en mis propias narices! «Hurtadas» con tanta habilidad que ni yo misma, que no se me escapa una, me había dado cuenta.

El día anterior el crimen del bocadillo de chorizo y hoy esto. ¡No paraban de pasar cosas extrañas! Esta vez no podía haber sido Edelmiro, porque no había venido a clase. No. ¡Edelmiro estaría tramando algo mucho peor con Aitana y César Ulises!

¿Quién sería esta vez el ladrón?

¿Isidro? ¿El profe? ¿El hombre invisible?

¿QUÉ HARÍA EL DETECTIVE MISTERIO SI ESTUVIERA EN MI PELLEJO?

¿NECESITAS AYUDA EN TUS INVESTIGACIONES, CARLA?

DETECTIVE Misterio

¿TÚ AQUÍ? PENSÉ QUE LOS SUPERHÉROES NO SE LEVANTABAN TEMPRANO.

DEPENDE DEL CASO. EL TUYO PARECE IMPORTANTE...

¡NO OS PONGÁIS NERVIOSOS! VAMOS A REALIZAR UNA INVESTIGACIÓN. ¡QUE NADIE ABANDONE EL AULA HASTA QUE SEPAMOS QUÉ HA PASADO AQUÍ!

¡ESO! ¡TODO EL MUNDO ES SOSPECHOSO HASTA QUE SE DEMUESTRE LO CONTRARIO! AVERIGUAREMOS QUÉ MALDADES ESTÁN HACIENDO LOS DOS NIÑOS Y LA NIÑA QUE HAN FALTADO A CLASE. ¡Y LO MÁS IMPORTANTE: POR QUÉ ME HAN ROBADO MIS GALLETAS!

¡VALE, YA HABLO!... EL JEFE DE LA BANDA, EDELMIRO, PLANEA UN ROBO. VAN A CONSTRUIR UN SÚPER-RAYO LÁSER PARA GOBERNAR LA CIUDAD. TIENEN UNA GUARIDA SECRETA DEBAJO DEL ZOO DE METRO CITY. ME DIERON GALLETAS PARA SOBORNARME Y QUE NO DIJERA NADA, PERO LA MAYORÍA SE LAS HAN COMIDO ELLOS... ¡JURO QUE NO SÉ NADA MÁS!

FINALMENTE, LOS HÉROES VAMOS EN BUSCA DE LOS VILLANOS, A DESBARATAR SUS PLANES. POR SUPUESTO, UNA BUENA PELEA NUNCA VIENE MAL. LOS ÚNICOS QUE SE LLEVAN TORTAZOS SON LOS MALOS...

Don Eriberto me despertó y me puse más colorada que un cangrejo. Estaba enfadadísimo. Ahora sí que me la había cargado.

Menos mal que la sirena del recreo sonó y me libré del chaparrón.

—Ya continuaremos esta conversación, no te creas que te vas a librar. Hala, ¡todos al recreo!

Bajando las escaleras camino del patio me di cuenta de que tenía más hambre que nunca y no tenía mis galletas. De repente escuché un ladrido en la calle y me acordé del sueño que había tenido y de la imagen de aquel enorme perro que me ladraba.

¡Eureka! ¡Ya lo tenía! ¡Cómo podía haber sido tan tonta! Nadie me había robado las galletas. ¡Se me habían caído al tropezarme con el perro al entrar al colegio!

Corrí a recepción y el conserje me acompañó a la salida. ¡Efectivamente, allí estaban, al lado del árbol de la entrada!

Había sido una mañana dura pero no moriría de hambre. Eso es lo que pensaba, con una sonrisa de oreja a oreja, mientras volvía al patio con mis galletas, hasta que me encontré a Isidro en la fuente.

—¡Mira quién viene por aquí! —me dijo—. ¡La dormilona de clase! Supongo que hoy no es necesario hincharte otro globo como el de ayer para que me des tu almuerzo. ¡Galletas de chocolate! ¡Con lo que a mí me gustan!

Menuda mañana llevaba. Aún me dolían las rodillas por la caída antes de las clases, me había quedado dormida en mi pupitre y don Eriberto estaba enfadadísimo conmigo. Además, tres alumnos habían desaparecido, ¡y el abusón de Isidro me había quitado otra vez mi almuerzo!

Aunque no os lo creáis, lo que más me fastidiaba de todo aquello era la última injusticia. Esto no podía quedar así. Allí mismo, ante la fuente del patio, me juré a mí misma ser más valiente y convertirme por fin en la heroína que creía que era.

En voz baja, para que nadie me oyera, dije las palabras de mi admirado Detective Misterio:

«Malvados y criminales:
¡desbarataré vuestros planes!»

POR FIN UN CASO
CON MIGA

¿Os imagináis quedaros sin gominolas, sin tebeos, sin la pizza de los viernes por la noche, sin cine con palomitas los sábados por la tarde y sin volver a probar las palmeras de chocolate, los sándwiches de chóped con mermelada y los helados de fabada de los domingos?

Si don Eriberto le contaba a papá que me había dormido en clase, ya podía despedirme de todas esas cosas, porque el castigo iba a ser de aúpa. Me la iba a cargar pero bien...

¡No podía ser! ¡Había que evitar la tragedia como fuese! ¡Mi vida estaba en peligro!

Mientras subía las escaleras de vuelta a clase, no me quedó más remedio que admitirlo: aparte de portarme bien, había otra cosa que me rondaba la cabeza. En las misteriosas desapariciones de Edelmiro, Aitana y César Ulises había gato encerrado. No me cabía ninguna duda. Sabía perfectamente que yo era la única persona capaz de resolver el caso. Si había una banda organizada de ladrones en el cole yo me encargaría de atraparla.

Tenía bien presente el juramento que había hecho en la fuente y no me olvidaba de cuál era mi deber. ¡No podía defraudar al Detective Misterio!

Me propuse trazar un plan para comenzar mi investigación. Lo haría durante la hora del comedor para no dejar de portarme bien en clase. No es por chulear, pero cuando me pongo a hacer de empollona no hay quien me pare.

Cuando se acercaba la hora de comer ya había terminado las fichas de Cono, los ejercicios de Lengua y había salido a la pizarra de voluntaria a resolver una división con dos decimales.

Estaba consiguiendo salvar el pellejo. Si la tarde se me daba tan bien, don Eriberto se olvidaría por completo de llamar a mi padre. Me libraría de la bronca.

Llegó la hora de la comida. Me aseguré de que Isidro estaba en la otra punta del comedor y me senté con mi bandeja en una mesa solitaria. Comencé a darle vueltas a la estrategia que debía seguir para solucionar el caso de las tres misteriosas desapariciones.

¿Se habría formado de verdad una banda de niños ladrones como había soñado esta mañana?

Mis neuronas trabajaban a la misma rapidez que mi aparato digestivo. Después de zamparme dos platos de patatas con besamel y una chuleta de cerdo, parecía verlo todo más claro.

MIENTRAS DABA BUENA CUENTA DEL YOGUR DE FRESA, DIBUJÉ UN MAPA DE DÓNDE VIVÍA CADA UNO DE LOS ALUMNOS DESAPARECIDOS Y TRACÉ UN RECORRIDO CON EL ORDEN DE VISITAS.

Primero iría a ver a Edelmiro, que es el que vive más cerca del colegio, después a Aitana, y por último haría una visita a César Ulises, que es el que vive más cerca de mi casa.

En otra hoja del cuaderno escribí todas las preguntas del exhaustivo interrogatorio que iba a hacer a los tres desaparecidos, ¡por ser sospechosos de organizar una banda criminal!

Ya tenía un plan, ahora solo debía seguir portándome bien por la tarde y esperar a que terminase la clase para llevarlo a cabo con éxito.

Antes de que se oyera el timbre, don Eriberto se acercó a mi pupitre y... ¿qué creéis que hizo?

¡Me felicitó diciéndome que era la mejor alumna! Yo puse la cara de buena que siempre pongo cuando quiero repetir postre en el comedor...

Por fin sonó el timbre. Había sobrevivido. Habían acabado las clases, no iban a llamar a mi padre y todo iba sobre ruedas.

Bueno, las clases no habían terminado del todo: los martes y jueves también tengo una hora extraescolar de pintura. Mi madre me apuntó porque cree que así «canalizo mi imaginación», que es una frase de mayores que oigo muchas veces y no sé muy bien qué significa, porque siempre me hace pensar en canelones...

Lo que importa es que ese martes me iba a saltar la clase de pintura para seguir con la investigación.

La misión no era nada fácil. Debía conseguir toda la información posible en una hora y volver para que papá me recogiera en la puerta del cole y me llevara a casa. ¡Tenía que darme mucha prisa!

No tardé más de cinco minutos en presentarme en la puerta de casa de Edelmiro, mi primer y principal sospechoso.

Goyo, su herma-
no mayor, me abrió
la puerta con cara de
pocos amigos. Lleva-
ba una camiseta es-
pantosa.

—¿Qué es lo que
quieres, «pequeña-
za»? —me soltó de
golpe.

—¿«Pequeñaza»? Querrás decir «pequeñaja» —le dije mirando al suelo evitando su camiseta.

—Quiero decir lo que he dicho: «pequeñaza». Porque eres pequeña e insignificante y a la vez eres gorda y pesada. «Peque-ñaza».

Tragué saliva. No me lo ponía nada fácil. Reuní todo el valor posible para seguir con mi plan e interrogar a Edelmiro.

—Es que como Edelmiro ha faltado hoy a clase vengo a traerle los deberes...

—Pues vuelve mañana —me cortó—. Mi hermano no está en casa. Mi madre le ha llevado al médico porque está pachucho y yo estoy jugando a la Play. Así que... ¡aire, «pequeñaza»!

Me cerró la puerta en las narices y él y su horrible payaso desaparecieron.

¿ES QUE NO LO ENTENDÉIS? ¡ESTO ES MUY IMPORTANTE! TENÉIS QUE HACERME CASO.

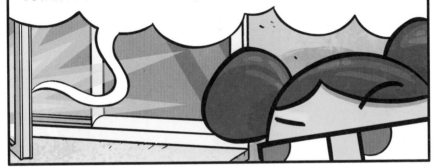

NO PODEMOS CONTINUAR ASÍ. ¡HAY QUE ORGANIZARSE! ES NECESARIO QUE CADA UNO DE VOSOTROS SE COMPROMETA A ESTAR A SU HORA EN SU POSICIÓN. OS LO DIGO EN SERIO...

LO HEMOS REPETIDO UN MILLÓN DE VECES. ¡ASÍ NO HAY MANERA DE COMETER...

... EL ATRACO PERFECTO!

¡Ojalá el profe de gimnasia me hubiese visto correr! Siempre dice que soy la más lenta de la clase. Reconozco que no fui muy valiente, pero tampoco era necesario si ya había recogido toda la información.

Mi olfato no me había engañado, y mis primeras sospechas se confirmaron. Edelmiro, Aitana y César Ulises habían montado una banda. ¡Y Goyo, el de la camiseta horrible, estaba compinchado con ellos!

Era imposible encontrar a César Ulises en su casa, estaría en la de Aitana planeando el «atraco perfecto».

Un buen detective termina lo que ha empezado, así que fui a la casa de César Ulises a confirmar mis sospechas.

Llamé a la puerta. Cuando una señora alargada con la cara de César Ulises y una melena rubia me abrió la puerta me di cuenta instantáneamente de que era su madre.

Intenté interrogarla, pero empezó hablar y no pude. Madre mía, parecía una metralleta. Me aturdió tanto que apenas prestaba atención a lo que decía...

Aturdida, no podía procesar tantísima información. Estaba en estado de «shock».

Además, aquella casa era enorme y estaba llena de jarrones, alfombras, bandejas, candelabros, cuadros, espejos, mesas de cristal y relojes. Imaginé lo cansadísimo que tenía que ser pasar la aspiradora en esa casa. En la mía todos los sábados ayudo a papá a limpiar, pero no es tan grande ni tiene tantas cosas que se manchan. No envidiaba los sábados de César Ulises...

¡Un momento! ¿Qué acaba de decir aquella señora? ¿César Ulises estaba en casa? ¡No podía ser! ¡Imposible! Le había oído planeando a voz en grito el «golpe perfecto», con el resto de la banda, en casa de Aitana.

¡Dios mío, qué astutos! ¡Hasta habían engañado a la madre de César Ulises! ¡Habrían construido una réplica perfecta de su hijo para no despertar sospechas mientras él salía a atracar bancos!

La cabeza me daba vueltas. Sentía las manos agarrotadas. Me temblaban las piernas. Y para colmo, ¡tenía un agujero en el estómago! Aunque, bueno, lo rellenaría pronto, porque por lo menos en lo que sí parecía que había acertado era en que por fin iba a merendar...

Cuando la madre de César Ulises me dejó en su habitación y volvió a la cocina, algo parecido a un niño con cara de susto se levantó de la cama a toda velocidad, se metió en el cuarto de baño y cerró la puerta. Actué lo más rápido que pude.

—Sé que eres un robot, no intentes escapar. A mí no me la das. Haz el favor de salir del baño: ¡los robots no van al baño!

Le estaba dando golpes a la puerta del baño cuando César Ulises abrió y me miró con cara de susto.

—Carla... No tengo ni idea de lo que haces aquí. No sé de lo que estás hablando... Si es una broma no tiene gracia... No me encuentro bien. Entra al baño y comprueba tú misma si soy o no soy un robot. No he tirado de la cadena.

Cuando salí del baño sabía «científicamente» que el que se había metido de nuevo en la cama era César Ulises.

En clase todos le llamaban Ratón y no parecía molestarle. Era algo rarito, pero muy inteligente y nunca se hacía notar. Tenía que admitir que me había dejado llevar por mis fantasías: César Ulises no estaba en la banda.

Esperando a que su madre nos trajera la merienda, Ratón se quedó dormido. Era el momento de ordenar en mi cabeza todo lo que había pasado ese día. Tal vez, si compartía con alguien todo aquello, podría dar antes con la solución del caso.

Cuando la madre de Ratón nos dejó una enorme bandeja llena de dulces en la cama, el enfermo se incorporó, me miró y se puso blanco de nuevo:

—Ah... ¿pero aún sigues aquí? —balbuceó.

—No te preocupes, Ratón. Sé que eres tú. Tengo una cosa que contarte... No te lo vas a creer...

LA AMENAZA GRUYÈRE

César Ulises «Ratón», con la colcha de su cama hasta la barbilla, permaneció callado durante el tiempo que duró el relato de mis investigaciones.

Después del episodio del baño, había logrado tranquilizarlo y sus ojos ya no transmitían miedo, aunque sí sorpresa y algo de desconfianza.

Los dos sabíamos que no éramos grandes amigos en el cole, simplemente vivíamos cerca e íbamos a la misma clase. Aunque, bueno, para ser sincera a ninguno de los dos nos sobraban los amigos.

Sentada al lado de su cama y con la bandeja de la merienda que había traído su madre, intentaba hacerle comprender la gravedad del asunto: ¡había una banda de ladrones en el colegio y yo lo había descubierto!

—Bueno, ¿qué te parece lo que te he contado? Es alucinante, ¿verdad? —le dije con la boca llena de donuts de chocolate. Hablar tanto me había dado muchísima hambre...

Ratón no sabía qué decir. El pobre parecía no encontrarse demasiado bien, pero aun así siguió mi discurso con gran atención. Por fin abrió la boca y, por primera vez en toda la tarde, sus pequeños ojos de ratón brillaron con picardía.

Ratón a veces habla así. Es un poco repipi y dice palabras que yo solo oigo a mi abuela Nana, como «correveidile», «tuercebotas» y cosas así. Es muy gracioso, aunque creo que él no lo sabe.

—Me tienes que creer. Sé perfectamente lo que oí en casa de Aitana: ¡hablaban de dar un golpe! Edelmiro estaba con ella. ¡Estoy segura! ¿Qué me dices del robo del bocadillo de Manolito del día anterior? ¡Está claro que estaba ensayando sus nuevas habilidades!

Le estaba convenciendo. Di un trago de zumo y esperé a que se rindiera a las evidencias de mi magnífico trabajo detectivesco.

—No sé, Carla, hay una cosa que no me encaja... ¿Qué hacen juntos en una banda Edelmiro y Aitana? ¡No pegan nada!

Ratón empezaba a tomarme en serio. Rascándose el flequillo mientras ponía cara de interesante, y con ese pijama de cuadros que llevaba puesto, ¡parecía el mismísimo Sherlock Holmes! Aunque ese detective esté un poco pasado de moda para mi gusto...

Continuó diciendo:

—¿Te imaginas en serio a Aitana formando parte de una banda de ladrones? ¿La misma Aitana que en clase tiene todos los libros forrados de rosa y solo habla de princesas, unicornios y príncipes valientes? ¿Estamos hablando de la que tiene el título de «Miss Cursi» en clase? No puede ser...

RATÓN, NO HAY QUE DEJARSE LLEVAR POR LAS APARIENCIAS... ¿QUIÉN CREERÍA ENTONCES QUE YO SOY UNA MAGNÍFICA DETECTIVE? ¿QUIÉN?

Ratón se quedó con la boca abierta mientras yo, orgullosa, le daba un mordisco a la última medianoche de fuagrás que quedaba en la bandeja.

Tosió un poco y continuó.

—De Edelmiro lo puedo creer, porque ya le he visto varias veces apropiándose de cosas que no son suyas. ¿Te acuerdas de la goma con sabor a limón que perdió Marta? Yo vi cómo Edelmiro se la quitaba del estuche cuando volvíamos del recreo. ¿Y el cromo del hombre murciélago que perdió Alberto? ¿Te acuerdas del berrinche que se llevó porque era muy difícil de conseguir? Pues al día siguiente vi cómo Edelmiro lo cambiaba en el patio por una carta de Fórmula Uno. Edelmiro nunca ha hecho esa colección... ¿De dónde había sacado el cromo que casi nadie puede conseguir?

—¿Y tú veías lo que estaba haciendo Edelmiro y no decías nada? —Estaba indignada. La injusticia me saca de mis casillas, no lo puedo evitar...

SÍ, YA SÉ QUE TENÍA QUE HABER AVISADO A MARTA Y A ALBERTO. PERO NO TENGO EL VALOR QUE TIENES TÚ. CUANDO VEO ALGO RARO PREFIERO MANTENER LA BOCA CERRADA Y NO LLAMAR LA ATENCIÓN. EN CLASE CASI NADIE HABLA CONMIGO, ASÍ QUE IMAGÍNATE SI ENCIMA PIENSAN QUE SOY UN CHIVATO...

No sabía qué decir. Disimulé dando un trago de zumo y limpiando con la mano las migas que había tirado encima de su cama. La voz de César Ulises «Ratón» había cambiado y parecía que estaba a punto de ponerse a llorar.

—... Por eso mis padres me han apuntado a kárate. Imagínate, ¡yo en kárate! Están preocupados porque no tengo amigos en el cole y piensan que apuntándome a kárate... ¡Espera un momento!

Me atraganté del susto. Ratón había cambiado la cara por completo. Ya no estaba colorado ni a punto de llorar.

¿«Albricias»? ¿Qué significaba eso? No entendía nada. Ratón se había vuelto loco de repente, mejor sería que me levantase y fuese a avisar a su madre.

—¡Edelmiro y Aitana van a clase de kárate conmigo! Esa es la única conexión: la clase de kárate.

Ratón me contó que los lunes, miércoles y viernes va a kárate después de clases. Van muchos niños de diferentes edades.

Aitana, Edelmiro y su hermano Goyo son «cinturones verdes» porque llevan varios años entrenando. Ratón, como es novato, aún es «cinturón blanco».

Ojalá el Detective Misterio me hubiese visto. ¡Estaba sacando unas conclusiones estupendas sobre la investigación! El interrogatorio a Ratón iba perfectamente.

—¿Notaste algo raro en la clase de kárate del lunes? Intenta recordar, Ratón. Cualquier mínimo detalle, por pequeño que sea, ¡puede resultar fundamental para la investigación!

—Mmmm. Ahora mismo no se me ocurre nada... Entramos en clase, hicimos los ejercicios de estiramiento y... ¡espera! ¡Tienes razón! ¡Ayer ocurrió algo distinto de otros días! Después de calentar los músculos, el profe nos dio a cada uno una barrita energética con sabor a naranja. Dijo que se las habían regalado en su gimnasio. ¡Trajo una caja repleta de barritas y las repartió entre todos!

¡YA ESTÁ! ¡LO TENEMOS!

¡La investigación estaba dando sus frutos! Habíamos dado con una pista importantísima. Ratón parecía empezar a disfrutar con el caso igual que yo.

—Lo que no entiendo —dijo Ratón aún dudando— es qué tienen que ver las barritas energéticas con formar una banda de ladrones de bancos...

—¿Te gustan los tebeos del Detective Misterio? —pregunté, dispuesta a explicar todo aquello de una forma muy sencilla...

—Son mis favoritos... —Ratón me señaló una estantería repleta de tebeos.

—¡Perfecto! Estoy segura de que recordarás bien el número de *La amenaza Gruyère*... ¿Te acuerdas de cómo don Bartolo Malolor, el magnate de los quesos gruyère, consiguió reclutar un ejército de zombis para que ejecutasen sus robos con una máquina de hacer agujeros?

—¡Pues claro! —me interrumpió Ratón—. Don Bartolo preparó una fórmula para intoxicar el queso que se utilizaba en las pizzerías...

UNA FÓRMULA QUE PROVOCABA QUE LOS QUE COMÍAN AQUELLA PIZZA SE DESPERTARAN A MEDIANOCHE Y, GUIADOS POR EL SONIDO DE LA FLAUTA QUE TOCABA DON BARTOLO, ACUDIERAN A SU GUARIDA SUBTERRÁNEA EN LAS CLOACAS DE METRO CITY PARA AYUDARLE A COMETER SUS ROBOS.

AL DÍA SIGUIENTE, LOS ENVENENADOS DESPERTABAN EN SUS CAMAS, CON OLOR A QUESO Y A ALCANTARILLA, ¡Y NO SE ACORDABAN DE NADA!

Ratón cayó en la cuenta.

—¿Estás diciendo que el profesor de kárate nos envenenó con las barritas energéticas para montar una banda de atracadores?

—Exactamente. Eso es lo que está pasando.

—Entonces, ¿por qué no estoy yo en la banda, si comí mi barrita energética igual que los demás?

—Porque eres novato. Al profesor no le sirve una banda de cinturones blancos. Necesita un ejército de ninjas con más experiencia, como Edelmiro, Aitana y Goyo. Por eso a ellos les ha hecho más efecto el veneno y a ti solo ha conseguido ponerte enfermo.

—Madre mía... ¡Tienes razón!

Teníais que haber visto la cara de Ratón. Todo empezaba a encajar en este caso, y aunque me dolía la cabeza de tanto pensar, estaba contenta y orgullosa de mi trabajo de detective.

—¡Carla! —De repente, la voz de pito de la madre de Ratón llegó desde el piso de abajo—. ¿Has avisado a tu padre para decirle dónde estás? Son las siete y media y está anocheciendo...

Con el intenso trabajo de la investigación se me había olvidado ir a la puerta del colegio después de la clase de pintura...

Mi padre siempre dice que no hay que prejuzgar a las personas y tiene muchísima razón. La madre de Ratón resultó ser un encanto. Avisó a mi padre por teléfono para que viniera a buscarme y suavizó la bronca que me esperaba.

Papá estaba muy enfadado conmigo por haberle hecho esperar y por saltarme la clase extraescolar. Pero la madre de Ratón le convenció para que se sintiera orgulloso de mí, porque había ido a visitar a un compañero enfermo. «Las buenas acciones son mucho mejores que las clases, aunque sean de pintura», le dijo a mi padre mientras me guiñaba un ojo en secreto.

Cuando me despedí de Ratón, dijo:

—Gracias por venir a verme. Ha sido extraño, pero me ha gustado.

Sonrió y se volvió a poner rojo.

Quedé con él en hacerle más visitas para ir poniéndole al día de lo que pasaba en clase.

Unas horas después, en la cama, un segundo antes de quedarme roque, pensé que ya sabía por qué se dice eso de «eres más listo que los ratones colorados».

No conozco a nadie que siendo tan inteligente se ponga colorado con tanta frecuencia como César Ulises «Ratón».

¡REPARTIENDO GALLETAS!

Diario de Carla detective.

Hoy, miércoles, han faltado a clase dos alumnos más. Margarita y Julián. A ver si estos también son karatecas. Lo comprobaré en el recreo. Ahora tengo que dejar de escribir, porque creo que el profe se ha dado cuenta de que no estoy haciendo los ejercicios de Matemáticas.

He empezado a investigar si Margarita y Julián van a clase de kárate. Ha sido mala idea empezar a preguntar a Isidro. No sabe nada del asunto, ni le interesa.

Desgraciadamente, lo único que parece interesarle últimamente es mi almuerzo.

Sigo preguntando si Margarita y Julián van a clases de kárate. Al interrogarles, Ana y Mario se han puesto a discutir sobre si el kárate es mejor que la gimnasia rítmica. Mario prefiere la gimnasia y Ana no, porque está en kárate. Yo no me meto en la discusión...

Al menos me han confirmado que los que han faltado son karatecas...

Esta tarde hay clase de kárate. Aprovecharé para desenmascarar al profe y su banda de malhechores...

¡Tengo un plan infalible!

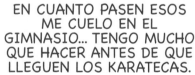

EN CUANTO PASEN ESOS ME CUELO EN EL GIMNASIO... TENGO MUCHO QUE HACER ANTES DE QUE LLEGUEN LOS KARATECAS.

¡MALDICIÓN!
¡ESTÁ CERRADA!

TRAC
TRAC
TRAC

PIENSA, CARLA, PIENSA...

¡YA LO TENGO!
¡EL PATIO!

LOS VESTUARIOS TIENEN
UNAS VENTANAS QUE DAN
AL PATIO...

Colegio Públi
Charle
Chapli

¡VAYA FAENA!
TAMBIÉN ESTÁN
CERRADAS...
A VER SI CON
ESTE PALITO...

¡AY, MADRE! ¡LA QUE ACABO DE LIAR!

CON CUIDADO, CARLA...

SÉ QUE RATÓN ME HUBIERA DEJADO SU QUIMONO SI SE LO HUBIERA PEDIDO.

CESAR ULISES

¡BIEN! EL PLAN ESTÁ SALIENDO A PEDIR DE BOCA...

AHORA UN CAMBIO DE IMAGEN Y...

... NADIE ME RECONOCERÁ.

¡JA, JA, JA! CARLA, SIN LAS GAFAS NO VES UN PIMIENTO...

... ¡PERO ERES UNA CRACK!

¡AK!

ESTÁ BIEN, EL TRAJE ME QUEDA RAQUÍTICO, PERO NADIE SE DARÁ CUENTA.

SERÁ MEJOR QUE GUARDE LAS GAFAS Y CIERRE LA VENTANA PARA NO LLAMAR LA ATENCIÓN. LOS KARATECAS ESTÁN AL CAER Y YO DEBO DESBARATAR SUS PLANES.

MMM... ¿POR QUÉ TARDARÁ SIEMPRE TANTO ESTA CHICA?

JE, JE, EL CAMUFLAJE FUNCIONA A LA PERFECCIÓN. NO SE HA DADO CUENTA NI EL PROFE...

BLA BLA BLA BLA BLA BLA BLA BLA BLA

BUENO... PUES SI NO ESTÁ EN SU CLASE, NI EN EL CUARTO DE BAÑO, NI EN EL DESPACHO DE LA DIRECTORA, PODEMOS MIRAR POR EL PATIO.

¡VAYA CON LA CHIQUILLA!...

LAMENTO LAS MOLESTIAS, FREDO. YA SABE CÓMO ES ESTA NIÑA...

¡BASTA! NO PIENSO SOPORTAR NI UN MAMPORRO MÁS. LE HABLARÉ CLARITO.

QUÉ RARO, LA VENTANA DE LOS VESTUARIOS ESTÁ ROTA. ECHEMOS UN VISTAZO EN EL GIMNASIO A VER SI ENCONTRAMOS A SU HIJA.

ARRIVEDERCI PIZZA

Me la había cargado.

Sentada en una silla, con la cabeza mirando al suelo del despacho de la directora, aguantaba como podía el chaparrón. La señorita Dolores estaba tan enfadada que me daba miedo mirarle directamente a los ojos por si me lanzaba un rayo y me desintegraba. En serio.

A mi lado, sentado en otra silla, mi padre también me miraba de reojo con otro rayo preparado por si fallaba la directora.

—Es una falta muy grave. ¡Muy grave! —dijo la directora—. ¡Te podías haber hecho daño! ¿Y si te cortas con el cristal? Di, ¿qué hubiese pasado si te cortas con el cristal?

Sabía que no quería que la contestase, así que seguí contando las baldosas del suelo en silencio.

Es una cosa que hacen a veces los mayores y que me despistaba muchísimo cuando era más pequeña: ¡preguntan sin querer que les respondas!

—Desde luego, Carla, ¡hoy te has superado! Rotura de mobiliario escolar. Allanamiento de vestuario. Robo de material deportivo. Y, por último, ¡desacato a la autoridad! ¿Nos puedes explicar qué es lo que pretendías?

Esta vez sí parecía que quería una respuesta, pero no podía contestar. ¡El Detective Misterio nunca desvela el curso de sus investigaciones! Tenía que mantener la boca cerrada.

¿NO DICES NADA? MUY BIEN... NO NOS QUEDA MÁS REMEDIO QUE PONERTE UN SEVERO CASTIGO PARA QUE ENTRES EN RAZÓN. ESPERA FUERA MIENTRAS HABLO UN MOMENTO CON TU PADRE.

Papá y mamá se divorciaron cuando yo era pequeña, así que no me preguntéis a mí por qué lo hicieron porque no me acuerdo. Se lo tendríais que preguntar a Marcos o a Can, que eran mayores que yo cuando pasó, y seguro que saben más del asunto.

Con mi hermano Marcos lo tenéis difícil porque solo abre la boca para hablar de videojuegos, pelis de vampiros y de grupos de rock. Y con Can, bueno, con Can lo tenéis más complicado todavía porque, aunque es el perro más listo que he visto en mi vida, dudo que os pueda contar nada.

Los tres vivimos con papá. Y también Tortu, mi tortuga. A mamá la vemos muchísimo. Vive cerca de nosotros con Ramón Feroz, que es un pintor muy famoso (aunque de feroz no tiene nada, ¡a mí me cae genial!),y con mis dos hermanitos pequeños, Nico y Nora, que son dos terremotos con los que me lo paso bomba jugando.

Somos una familia peculiar. Distinta. Pero a mí me gusta. Yo, a mi manera, también sé que soy distinta a los demás y me encanta, aunque a veces he de reconocer que lo paso fatal.

Ser detective con solo nueve años no es tarea fácil, sobre todo cuando estás esperando a que salga tu padre del despacho de la directora para que te ponga un castigo. ¡Y qué castigo! Llevaba muchísimo rato esperando y eso no podía ser nada bueno.

Cuando nos fuimos del cole, mi padre parecía más triste que enfadado.

LLEVÁBAMOS UN BUEN RATO ANDANDO CAMINO DE CASA Y TODAVÍA NO ME HABÍA DIRIGIDO LA PALABRA. EMPEZABA A PREOCUPARME OTRA VEZ...

Me quedé callada y me agarré más fuerte a su mano mientras cruzábamos el semáforo.

Sí que la había hecho buena. Papá no tenía ganas de hablar conmigo.

Me puse triste y recorrimos sin hablar todo el camino. En la cena intentaría explicarle todo lo que estaba pasando en el colegio. Sabía que me entendería. Es mi padre y tenía que confiar en él.

—Es verdad, papá. Escuché perfectamente cómo preparaban el golpe en casa de Aitana...

—¿En casa de Aitana? ¿Cuándo has estado tú en casa de Aitana? ¡Esto es demasiado! Tengo que hablar con tu madre ahora mismo. Esto no puede seguir así...

Decidí callarme y no empeorar las cosas. Cuando papá decía que tenía que llamar a mamá es que me la estaba cargando de verdad. La última vez que papá llamó a mamá por mi culpa me apuntaron a clases de pintura...

—¡Marcos! Déjanos solos a tu hermana y a mí. Seguro que tienes alguna tarea pendiente para mañana que no has terminado.

Marcos se levantó de la mesa y recogió su plato sonriendo.

—Suerte, hermanita...

Papá observó de reojo cómo Marcos se iba silbando hacia su habitación jugando con Can. Esperó a que mi hermano cerrara la puerta, y me miró a los ojos sin decir nada. Estaba muy enfadado.

Me pareció que pasó un millón de años, el tiempo que necesitó para tranquilizarse y empezar a hablar.

—Carla, tienes que entender que no puedes seguir portándote así. Mira la que has armado esta tarde... Tu directora y don Eriberto ya no saben qué hacer contigo. Y lo peor de todo es que tanto ellos, como tu madre y yo, sabemos que eres una niña muy lista. Estás llena de virtudes y valores. Y son esas cualidades las que entre todos tenemos que ayudarte a canalizar.

Bueno, por lo menos parecía que a papá se le estaba pasando el enfado.

Lo que venía a continuación me lo sabía de memoria. Que si tengo una imaginación tremenda, que si ya soy mayor, que si tengo que ser responsable...

NOS ENCANTA QUE TENGAS IMAGINACIÓN. ES IMPORTANTÍSIMA EN LA VIDA Y TÚ TIENES MUCHÍSIMA. A VECES PIENSO QUE DEMASIADA... PERO NO PUEDES ESTAR TODO EL DÍA CON FANTASÍAS Y OCURRENCIAS. YA NO TIENES CINCO AÑOS, TIENES QUE SER RESPONSABLE.

Y al llegar aquí cambió de expresión otra vez y me miró con la cara más seria que había visto hasta entonces a papá.

—Pero no es la primera vez que escuchas todo esto que te estoy contando, ¿verdad? Estoy seguro de que te lo sabes de memoria. Creo que estas charlas no producen ningún efecto en ti. Y has hecho cosas muy graves. Así que no me queda más remedio que tomar medidas drásticas. Al menos hasta que cambies de actitud y te portes como es debido.

Al oír eso puse la misma cara que se me quedó cuando cambiaron los macarrones con tomate por las acelgas en el menú de los lunes del comedor...

¡GLUPS! ¿QUÉ SIGNIFICA ESO DE «MEDIDAS DRÁSTICAS»?

—A partir de ahora está terminantemente prohibido investigar, indagar, inspeccionar, escrutar y rastrear. Aquí y en el colegio. Si quieres averiguar algo, será bajo la supervisión de un adulto, que puede ser tu profesor o yo mismo. Como los tebeos están teniendo una influencia negativa en ti, te los voy a requisar durante un tiempo. Y, como castigo ejemplar, y para que de una vez por todas entiendas que no puedes seguir portándote así de mal, la pizza de los viernes y el cine de los sábados quedan suspendidos indefinidamente.

Me estaban entrando unas ganas horribles de llorar. Nunca había visto a papá tan enfadado. Se levantó y empezó a recoger la mesa. Me levanté yo también y cogí mi plato vacío.

—Déjalo, Carla, que ya me ocupo yo de esto. Te puedes ir a la cama. Buenas noches.

ENCONTRONAZO FAMILIAR

E stoy segura de que también os pasa a vosotros: cuanto más os prohíben una cosa, más ganas os entran de hacerla.

¿Qué culpa tenía yo de que papá no se diera cuenta? En el colegio estaban pasando cosas muy gordas y solo yo lo sabía. ¡Solo yo podía desenmascarar a la Banda del Cole! Madre mía, qué responsabilidad...

Mi sentido del deber era mucho más fuerte que cualquier castigo, por muy duro e injusto que fuese. ¡No podía dejar de investigar! Había hecho un juramento y tenía que seguir adelante.

La había pifiado una vez, es cierto, así que a partir de ahora no me quedaba más remedio que disimular y continuar mis investigaciones sin que nadie lo notara. Sabía que me la estaba jugando, pero... ¡era tan emocionante!

Con estos pensamientos empecé aquel jueves...

"CÓMO INVESTIGAR SIN QUE PAREZCA QUE ESTÁS INVESTIGANDO"

BUSCANDO EN LA PRENSA NOTICIAS RELACIONADAS CON ATRACOS, SIN LEVANTAR SOSPECHAS...

ANOTANDO DOS NUEVOS AUSENTES CUANDO EL PROFE PASA LISTA EN CLASE...

PREGUNTANDO SI SILVIA Y NACHO SON KARATECAS, INTENTANDO NO LLAMAR LA ATENCIÓN...

Y, SOBRE TODO, PROCURANDO NO METERME EN PELEAS...

El día pasó volando. Cuando me quise dar cuenta, la sirena de las cinco de la tarde estaba sonando a todo trapo y yo metiendo los libros y los deberes en mi mochila para irme a casa.

Empezaba a dárseme bien lo de disimular, porque don Eriberto no se dio cuenta de mis investigaciones secretas. Y eso que no me quitó el ojo de encima en todo el día. Estaba contenta por eso. ¡Me estaba comportando como una auténtica investigadora profesional!

Seguro que el Detective Misterio estaría orgulloso de mí aun cuando me estaba jugando no volver a leer sus cómics el resto de mi vida...

Sin embargo, había varias cosas de la investigación que no encajaban y no podía dejar de pensar en ellas.

En primer lugar, la Banda del Cole todavía no había actuado. De eso estaba segura, porque en el periódico de la mañana no había ninguna noticia sobre robos. ¿A qué estaban esperando para dar el golpe del que hablaron en casa de Aitana?

Quizás mi aparición en el gimnasio hubiese retrasado sus planes. Pensar en eso me hacía tan feliz... ¡Mi trabajo servía para algo!

Pero había otra cosa que no entendía, y era que ninguno de los dos alumnos que habían faltado por la mañana iba a clase de kárate. Eso sí que era raro de verdad.

No sabía dónde vivía Silvia. Tampoco dónde vivía Nacho. Me era imposible confirmar si estaban o no en la banda sin hacerles una visita. Además, mi padre me estaba esperando en la puerta del colegio. Ya no se fiaba de mí.

Definitivamente, la investigación se estaba complicando...

Tan concentrada estaba pensando en la investigación que se me había ido la cabeza mientras recogía mis cosas. ¡Para que luego diga papá que no me concentro en las cosas importantes!

—¡Mi padre me mata! —grité mientras metía el resto de cosas en mi mochila. Luego bajé las escaleras hacia la entrada del colegio tratando de pulverizar el récord mundial de 200 metros obstáculos.

Pero el récord mundial tendría que esperar para otra ocasión, porque en el momento en que salía como una centella por la puerta principal me di de bruces con alguien...

VAYA, CARLA, ME GUSTA COMPROBAR QUE SIGUES EN BUENA FORMA...

Mi abuelo Carlos se levantó del suelo de un ágil respingo y, sonriendo, me ayudó a levantarme. Empezaba a cogerle gusto a eso de estamparme contra un familiar...

Mi padre siempre dice que me parezco demasiado a mi abuelo. Que no sé vivir sin meterme en líos. Exagera.

¡Mi abuelo sí que se ha metido en cantidad de líos tremendos! Fue un famosísimo aventurero cuando era joven, y ha dado tantas vueltas al mundo que solo de pensarlo te mareas.

Conoce los cinco continentes y ha vivido en el desierto y en la selva. Ha construido iglús en el Polo

Norte y cabañas encima de los árboles del Amazonas. Ha bajado a la cueva más profunda de África y ha subido al pico más alto de América. También ha viajado en globo, en camello, en elefante y en tren. En avioneta, en moto con sidecar y a lomos de un delfín en los mares del Sur.

Yo, sin embargo...

Bueno, yo todavía no he montado ni una sola vez en avión, así que... ¡ya quisiera yo parecerme un poquito más a mi abuelo Carlos!

—¿Se puede saber adónde ibas con tanta prisa? ¡Ni cuando fui atropellado por aquella manada de bisontes de trescientas cabezas en las praderas de Dakota del Sur en el verano de 1958 he corrido tanto peligro!

—Lo siento, abuelo, no te he visto. Pensé que llegaba tarde y papá me estaba esperando.

Mi abuelo Carlos me miró a los ojos por encima de sus gafas.

—Tienes a tu padre muy preocupado, ¿lo sabes?

No respondí, y bajé la cabeza intentando esquivar su mirada. Una vez más se trataba de la clase de pregunta que los adultos hacen sin querer que contestes.

—A tu padre le ha surgido un problema en el trabajo y me ha llamado para que viniera yo a recogerte

—me explicó—. De paso, hemos estado hablando de ti y me lo ha contado todo.

¿«Todo»? ¿Qué le habría contado papá?

Me daba un poco de vergüenza que el abuelo se hubiese enterado de «todo». Él había resuelto muchísimos misterios en sus fantásticos viajes, había corrido infinidad de aventuras y peligros y de todos había conseguido salir victorioso.

Yo, sin embargo... Bueno, yo todavía estaba empezando en esto de ser detective.

—No pongas esa cara. Sé lo que estás pensando —me dijo mi abuelo mirándome como si me leyera la mente—. Cuando yo tenía tu edad también me metía en muchos líos, ¿sabes? ¡Mi padre pensaba que era un lunático!

Después de decir esto, rio con fuerza, con la boca muy abierta y los ojos extraviados. Llenó la calle con su sonora carcajada y, de repente, se calló.

Nos habíamos desviado del camino a casa y parecía claro que tomábamos rumbo a la de los abuelos. Pero no sabía para qué. Ese jueves no tocaba visita...

¿Mi abuelo no iba a llevarme a mi casa para hacer los deberes del cole?

Mientras esperábamos a que el semáforo de enfrente de su casa se pusiera en verde para los peatones, mi abuelo me informó:

ESTA TARDE LA PASAREMOS JUNTOS Y ME CONTARÁS TU AVENTURA. A CAMBIO RECIBIRÁS UN EXTRAORDINARIO REGALO.

El semáforo se puso verde. Apreté el paso agarrando su mano con fuerza, sin poder dejar de pensar en el extraordinario regalo que me aguardaba en su casa.

UN REGALO QUE
QUITA EL HIPO

«*L*as noches en el *Amazonas* son peligrosas. Mientras los hombres duermen, las bestias despiertan en busca de alimento. Serpientes de toda condición y longitud, lagartos y tritones, tortugas y cocodrilos salen del río dispuestos a engullir todo lo que les salga al paso.*

La tribu de los Uyuyuy lo sabe.

Ellos llevan viviendo cientos de años en este lugar y tienen bien presentes sus peligros. Sus cabañas, construidas con juncos y corteza de árbol seco, penden de las copas de los árboles a más de veinte metros de altura.

Allí, los Uyuyuy duermen a pierna suelta a salvo de los peligros de la selva. Encaramados estratégicamente en los puestos de vigilancia que tienen distribuidos por todo su poblado aéreo, los Hombres Lechuza observan sin ser vistos protegiendo a su pueblo».

—¿Has visto alguna vez una lechuza, Carla? —El abuelo Carlos interrumpió su relato para alzar los brazos imitando con ellos las alas de una lechuza—. ¡Es un animal increíble!

Siempre que mi abuela sale de casa, mi abuelo Carlos aprovecha para subir al desván a revivir sus extraordinarias aventuras. Allí guarda recuerdos inauditos de todos y cada uno de sus viajes.

—Este desván es mi pequeña cabaña, mi hogar. Como las de los Uyuyuy, también está suspendida en el aire.

Sobre una antigua alfombra de vivos colores que doscientos años atrás voló desde el Reino de Arabia hasta Katmandú, entre estanterías de madera vikinga repletas de viejos libros escritos en lenguas olvidadas, mi abuelo Carlos me contó cómo conoció a los Uyuyuy.

Agotado, después de caminar tres días y tres noches atravesando la selva, el abuelo Carlos se quedó dormido sobre una roca que resultó ser la espalda de un enorme cocodrilo. Cuando quiso darse cuenta, extrañado por la rugosidad de la piedra, el cocodrilo abrió sus horripilantes fauces dispuesto a arrancarle la cabeza de un mordisco.

Afortunadamente para mi abuelo y desafortunadamente para el cocodrilo, una extraña criatura voladora atrapó a mi abuelo entre sus brazos y lo transportó volando por encima de los árboles hasta alejarlo del peligro.

—Así es cómo conocí a los Hombres Lechuza. En aquella época, el hombre blanco había talado casi todos los árboles en los que se suspendían sus hogares. Estaban buscando árboles alejados de la civilización para reconstruir un poblado nuevo. Como me habían salvado la vida, yo, en agradecimiento, me quedé durante un año con ellos, ayudándoles a construir sus cabañas.

—¡Guau!, vaya historia, abuelo... ¡A ti sí que te han pasado cosas raras y emocionantes!

—Carla, quería contarte esta historia en cuanto me pusieses al corriente de tus andanzas —me contestó mi abuelo—. Verás, muchas veces las cosas no son como parecen. Los Hombres Lechuza me dieron esa gran lección cuando me salvaron la vida. Yo era un hombre blanco, igual que los hombres blancos que estaban talando sus árboles y destruyendo su poblado, y, sin embargo, no dudaron en salvarme de aquel enorme cocodrilo. ¡No se dejaron llevar por las apariencias!

Después tomó algo de aliento y añadió:

—También me enseñaron que se puede dar una segunda oportunidad a las personas.

Mi abuelo Carlos sacó una pequeña llave del bolsillo de su pantalón y me la mostró mientras continuaba hablando.

—Temo que cualquier día te metas en un lío del que nadie te pueda ayudar a salir. Me recuerdas a mí, querida nieta. No quiero que te quedes dormida en la espalda de un cocodrilo y nadie acuda a ayudarte.

—Abuelo, ¿para qué sirve esa llave?

No había terminado de hacer la pregunta cuando mi abuelo ya me estaba dando la espalda y se dirigía hacia un viejo armario.

El desván no tenía ventanas, y la lámpara japonesa que tenía al lado de la librería no iluminaba lo suficiente para distinguir bien la cerradura del armario. El abuelo Carlos guardó silencio mientras intentaba a tientas encajar la llave.

Las sombras chinescas de todos los extraños recuerdos de mi abuelo revoloteaban por las paredes
como una amenaza. Puf, reconozco que empecé a
sentir un poco de miedo, aunque... ¡era todo tan emocionante!

Lo malo es que me estaba empezando a hacer
pis...

La llave consiguió encajar, y al girarla sonó un
pequeño chasquido. El abuelo abrió las puertas del
viejo armario de par en par y agarró la única percha
que colgaba de su interior. Sonrió.

—Carla, necesito saber que estás a salvo. Yo me
hago mayor y, desgraciadamente, no puedo estar a tu

lado para prevenirte de todos los peligros que correrás. Por tus venas corre la sangre aventurera de los Ventura, eres exactamente igual que yo cuando tenía tu edad y no me cabe duda de que no podrás evitar meterte en líos...

Después de tanto suspense, siguió diciendo:

—Por eso tenía preparado para ti este extraordinario regalo. Lleva colgado años en esta percha, hasta el momento en el que estuvieras preparada. He decidido que ese momento sea hoy.

Calló un momento, cerró los ojos y mantuvo escondido detrás de su espalda algo que yo no conseguía distinguir. Así permaneció unos segundos que me parecieron horas hasta que, de improviso, abrió bien los ojos e hizo un ruido muy raro. Creo que era una mala imitación de un búho. Volvió a callar y me ordenó:

—Arrodíllate y cierra los ojos.

¡Madre mía, estaba punto de que me diera un patatús! ¡No podéis haceros idea de lo nerviosa que estaba! ¡Nunca había visto a mi abuelo Carlos así!

No sabía qué estaba pasando, pero sentí algo...

—Yo, Carlos Ventura, como miembro de honor de la Orden Milenaria de los Hombres Lechuza, del milenario pueblo Uyuyuy, guiado por la clarividencia que me otorga tan magnífico y sabio animal, te transmito a ti, Carla Ventura, la responsabilidad y el privilegio... ¡de ser depositaria del Poder de la Lechuza! Te hago, pues, entrega de esta capa de ligeras plumas rapaces, que te protegerá como un muro de posibles daños. Con ella, además, podrás alzar el vuelo cuando lo estimes necesario. Cuando sobre tus hombros deposites su poder, sentirás que no hay peligro que no oigas por muy bajito que hable, ni amenaza que no veas por mucho que se esconda. Esta capa te dará la sabiduría y el sentido común necesarios para protegerte de ti misma y de los demás... A partir de ahora, Carla Ventura, cada vez que sientas la necesidad de meterte en un lío en pos de la justicia, deberás utilizar esta capa con la responsabilidad y admiración que se merecen todas las generaciones anteriores de Hombres Lechuza que ejercieron su poder con respeto y veneración.

—¡Carlos! ¡Carla! Ya estoy en casa... ¿Dónde os habéis metido?

—¡Tu abuela nos mata! Rápido, levántate y mételo todo en tu mochila. ¡Bajemos antes de que se entere de que te he subido al desván!

EL TRAJE A MEDIDA

No pude abrir el regalo de mi abuelo hasta mucho más tarde, cuando estaban todos dormidos.

Por la tarde, cuando llegó la abuela, mi abuelo Carlos y yo disimulamos como si nada hubiera ocurrido y enseguida vino mi padre a recogerme para llevarme a casa.

Durante la cena apenas abrí la boca, lo justo para engullir los palitos de merluza. Todavía estaba alucinada. No me lo podía creer. ¡En mi mochila tenía una capa con superpoderes!

Por supuesto, debía mantener la calma. Lo único que me faltaba era que papá se enterase de esto...

Como decía, después de una cena sin mucha conversación, mi hermano roncaba a pierna suelta en su cuarto y mi padre ya se había levantado a hacer pis como siempre hace todas las noches. Can, dormido a los pies de la cama de mi padre, no se despierta nunca antes de las ocho, y Tortu, en su pecera, no podía verme desde mi estantería.

Estaba todo despejado. Desde la ventana, la luna, casi llena, iluminaba toda mi habitación.

Saqué la capa de la mochila y me la puse. Me estaba enorme. Cuando me calcé la capucha y me ajusté aquellos extraños ojos de lechuza sentí un escalofrío.

De repente, mirando hacia la ventana, ¡pude distinguir perfectamente todos y cada uno de los pájaros que dormían en los nidos de los árboles del parque! Y vi al gato de la vecina, que todas las noches se escapaba, husmeando en los cubos de basura del restaurante chino ¡que estaba a tres kilómetros de distancia!

¡Era todo increíble! En la bolsa también encontré unas botas con forma de garras que molaban un montón. ¡Qué ganas tenía de probar el traje que me había regalado mi abuelo!

Seguro que Can no ladraba tan fuerte y papá estaba hablando bajito, pero yo escuché aquello tan alto como una sirena de bomberos...

Me quité el disfraz a la velocidad del rayo. Lo guardé todo como pude y lo puse bajo la cama. Luego me metí en ella. Estaba tan nerviosa que podría haberlo hecho al revés, pero todo salió bien.

Como podéis imaginar, no pegué ojo en toda la noche. Mi abuelo me había hecho el regalo más extraordinario de toda mi vida: ¡por fin podría ser una auténtica superheroína!

Llevaba poco tiempo investigando y tenía que admitir que era una novata. El caso de la Banda del Cole se me estaba resistiendo y no lograba entender cómo seguían desapareciendo alumnos. Además, ¿a qué estaban esperando para empezar a atracar bancos?

Igual que mi admirado Misterio es incapaz de pensar sin el sombrero puesto, quizá lo único que me faltaba para resolver el caso era ponerme mi traje de lechuza.

Lo que Carla era incapaz de averiguar no se le resistiría a... ¡la Lechuza Detective!

Aunque apenas dormí, por la mañana me levanté con más energías que nunca y no dejé siquiera que sonara el despertador. ¡Tenía un plan y estaba deseando ponerlo en marcha!

Saqué el traje de lechuza de debajo de la cama y lo escondí bien en el segundo cajón de mi armario. Después revisé mis ahorros, y vi que tenía
dinero de sobra
para comprar
todo lo que ne-
cesitaba.

Mientras desa-
yunaba, conseguí con-
vencer a mi padre de que me llevase al mercadillo cuando me recogiese del colegio. Le dije que se me había roto el pijama y que necesitaba uno nuevo. Uno muy chulo que había visto con mamá hace semanas. No tenía por qué preocuparse por el precio, había estado ahorrando para comprármelo yo con mi dinero.

Mi padre, visiblemente satisfecho y contento por mi cambio de actitud, accedió.

En clase continué en mi papel de alumna ejemplar. Don Eriberto me felicitó por la redacción que tuvimos que improvisar antes del recreo sobre nuestro animal favorito. Habréis adivinado cuál elegí yo...

por Carla Ventura.

Ese viernes habían faltado a clase otros tres compañeros. Ninguno de los que faltaron el martes, incluido Ratón, habían vuelto. Los profesores, en los pasillos, hablaban preocupados de las ausencias sin encontrar explicación.

En el recreo jugué al baloncesto voluntariamente por primera vez en mi vida. ¡Mis compañeros de clase no se lo podían creer!

Lo que no sabían es que estaban conviviendo con una futura superheroína, y si quería serlo de verdad tendría que empezar a cuidarme y a hacer más deporte. ¡Necesitaba estar en forma!

La media hora que duró el recreo la pasé corriendo detrás del balón. ¡Madre mía lo que sudé! El profe dice que las personas somos casi todo agua y que tenemos que reponerla cuando la perdemos. Al terminar el partido, todo el agua de mi cuerpo estaba empapando el chándal y la pista de baloncesto. ¡Tenía la boca sequísima!

Cuando llegué a la fuente del patio para reponer mis líquidos descubrí que apenas salía agua. ¡Y qué mal sabía la condenada! Estuve un buen rato apurando todo lo que pude de aquel chorrillo.

Además de beber, los deportistas también deben alimentarse bien, pero como el resto de la semana Isidro se comió mi almuerzo, ¡pasé más hambre que una piraña vegetariana!

Las clases del viernes terminaron. Papá me recogió en el cole y nos fuimos de compras. ¡Mi plan para convertirme en superheroína estaba saliendo a la perfección!

"CÓMO HACER TU PROPIO TRAJE DE SUPERHÉROE"

1 LO PRIMERO ES QUE TU ABUELO TE HAYA REGALADO UNA CAPA Y UNAS GARRAS CON SUPERPODERES.

2 NO ESCATIMES EN GASTOS Y CONSIGUE UN «TRAJE» DIGNO.

¿ESTE ES EL ESQUIJAMA QUE TE GUSTA? ¿NO ES UN POCO GRIS?

A MÍ ME GUSTA ASÍ. ADEMÁS, LO VOY A DECORAR...

¿DECORAR?

3 CONVENCE A TU PADRE PARA QUE TE COMPRE ROTULADORES PARA ROPA, PASTA PARA MODELAR, PEGAMENTO Y LACA DE UÑAS.

4 BUSCA POR CASA UN CINTURÓN. SEGURO QUE HAY ALGUNO QUE NADIE USA.

5 AGÉNCIATE UNOS GUANTES (VALEN LOS DE FREGAR), PORQUE LOS SUPERHÉROES NO PUEDEN IR DEJANDO SUS HUELLAS DACTILARES POR AHÍ...

6 CON LOS ROTULADORES, DECÓRATE LAS MALLAS PARA QUE NO QUEDEN TAN SOSAS...

7 CON LA PASTA DE MODELAR, DISEÑA TU PROPIO ESCUDO Y DECÓRALO CON LACA DE UÑAS. ¡QUEDARÁ BRILLANTE!

ESPERA A QUE SE SEQUE Y PÉGALO A LA HEBILLA DE TU CINTURÓN.

8 SI LA CAPA QUE TE HAN REGALADO TE ESTÁ MUY GRANDE, PUEDES RECORTARLA UN POCO Y DEJARLA DE TU TALLA...

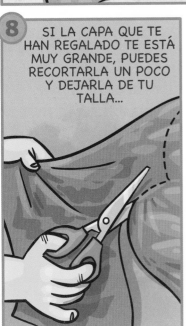

9 SI LA CAPUCHA DEL TRAJE NO ES BASTANTE MODERNA, PUEDES RETOCAR LA APERTURA Y AÑADIRLE UNAS GAFAS DE NATACIÓN. HAZ ALGÚN DETALLE MÁS, COMO UN PICO, CON UN TROZO DE CUERO...

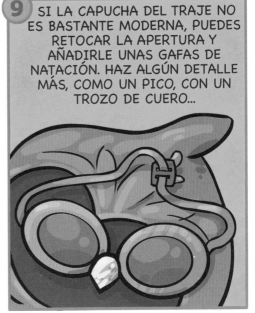

Papá estaba más contento. Cuando llegué a la cocina estaba sacando del horno una de sus pizzas de jamón con aceitunas que tan ricas le salen. ¡Me había levantado el castigo!

—Creía que este viernes no tocaba pizza porque habías castigado a la enana... —dijo mi hermano Marcos. ¡Siempre «ayudando»!

—Tienes razón, Carla estaba castigada. Sin embargo, hoy he hablado con don Eriberto y me ha contado que tu hermana parece haber entrado en razón. Se esfuerza en clase, y como siga así va a sacar unas notazas. No sabía yo que la charla con el abuelo iba a tener unos efectos tan «mágicos»...

Me encanta la pizza de papá, pero por alguna extraña razón esa noche su olor me resultaba de lo más desagradable. Mientras poníamos la mesa, mi padre seguía hablando:

—Además, se nos ha vuelto tan responsable que esta misma tarde hemos ido juntos a comprar un pijama. Y lo ha comprado con sus propios ahorros, ¿verdad, Carla?

¡Qué mal me olía la pizza de papá! ¿Qué le había puesto? ¡Qué asco! Tenía unas ganas horribles de vomitar.

—Carla, hija, ¿te encuentras bien? —me preguntó papá cuando colocó la enorme pizza en la mesa.

—Tiene una cara muy rara —añadió Marcos.

La habitación empezó a dar vueltas y me puse a sudar como un pollo. Can ladró un par de veces y me dio tiempo de ver a Papá y a Marcos correr hacia mí antes de caer redonda. Esa noche, además de perderme la cena, perdí el conocimiento.

LA BATALLA CONTRA
EL MAL (DE ESTÓMAGO)

G astroenteritis.

Eso es lo que dijo el médico que yo tenía. Cuando mi padre le explicó lo del desmayo, la fiebre y la vomitona que había dejado en la alfombra del salón, aquel señor con bigote no lo dudó ni un instante.

¡Me encontraba fatal!

Afortunadamente, el médico tranquilizó a mi padre: saldría de esta.

Para ponerme buena solo tenía que hacer dieta blanda y tomarme un jarabe cada ocho horas.

Con suerte, si todo iba bien, el lunes podría ir al colegio.

En cuanto se marchó el médico, Marcos salió a comprar las medicinas a la farmacia de enfrente y mi padre y Can no se despegaron de mi cama en toda la noche.

No dormí nada. Tenía unos retortijones tremendos y cada dos por tres me levantaba de la cama a toda prisa para llegar a tiempo al baño. Estaba tan agotada y me encontraba tan mal que no tenía fuerzas ni para llorar...

A mediodía del sábado me desperté y Can ladró de alegría para avisar a Papá y Marcos.

—¿Cómo estás, princesa? ¿Por fin has podido descansar?

Vaya, si papá me llamaba «princesa» es que se había preocupado de verdad. Hacía más de mil años que no me llamaba así.

—Te he traído un zumo de manzana para que tomes líquido y cojas fuerzas. Para comer, aunque no tengas ganas, te voy a cocer un poco de pescado.

Era la primera vez en mi vida que no tenía ganas de comer. ¡Tenía que estar gravísima! Me bebí el vaso de zumo lentamente y con gran esfuerzo.

Antes de llevarse el vaso vacío a la cocina, papá se paró en la puerta de mi habitación y me preguntó:

—Carla, ¿tomaste ayer alguna porquería? Ya sabes que siempre te digo que comer tantas chucherías no te hace nada bien... El médico ha dicho que seguramente esto te ha ocurrido por comer algo en mal estado.

—Pero papá, ¡cómo voy a comer chuches si me castigaste! —me defendí—. Además, esta semana Isidro me ha quitado el almuerzo en el recreo casi todos los días... ¡Es imposible!

Entonces caí en la cuenta. Me dolía la tripa, vomitaba, y tenía fiebre: me encontraba igual de mal que Ratón cuando fui a verlo. ¡Pero yo no había probado las barritas energéticas del profesor villano karateca! ¡A mí no podían haberme envenenado! Algo en toda esta historia no terminaba de encajar...

De repente, Marcos apareció con mi colección completa de cómics del Detective Misterio.

—Buenos días, hermanita, papá te ha levantado el castigo por enfermedad. —Cuando quiere, Marcos es el mejor hermano del mundo—. Te traigo esto para que no te aburras. Así tendrás material para inventarte esas «historias frikis» que tanto me gustan...

El pescado cocido sabía fatal, pero no me quedó más remedio que comérmelo entero. Cada vez que intentaba dejar algo, Can, a los pies de la cama, ladraba para chivarse a papá.

Mientras me peleaba con aquel pez asqueroso, intentaba ordenar mentalmente todas las cosas que me habían pasado. No entendía cómo podía estar enferma sin haber probado las barritas energéticas de kárate. No tenía sentido. Estaba en un callejón sin salida.

Para colmo, estaba muy débil y así era muy difícil llevar a cabo la investigación...

Miré la colección de cómics y mi mochila en el suelo con el traje de la lechuza dentro.

¡La lechuza! ¡Ella y solo ella podría ayudarme!

Si el abuelo tenía razón, el traje de lechuza me pondría buena y me daría el poder de resolver el caso.

Este sería el primero de los muchísimos misterios que desvelaría... ¡la Lechuza Detective!

Pero no podía ponerme el disfraz así como así. La lechuza observa sin ser vista: tenía que esperar de nuevo a que todos estuvieran dormidos.

La tarde la pasé inquieta, entretenida en mis continuas excursiones al baño. Las medicinas no eran tan rápidas como hubiese deseado, y aún me sentía mal. La espera para probar los efectos sanadores de la Lechuza fue muy larga. Pero al fin, por la noche...

Cuando Can me despertó el domingo, me encontraba perfectamente. ¡Era increíble! ¡Me sentía fuerte y no me dolía la tripa! ¡Alucinante! ¡Y tampoco había ido al baño por la noche ni una sola vez! ¡Era una superheroína de verdad!

Lo curioso es que la noche anterior me quedara dormida tan pronto. Supongo que al pasar dos noches en vela, en cuanto mi cuerpo empezó a sentirse mejor, lo primero que hizo fue descansar. Metida en la cama con las botas, la capa y la capucha, dormí como un angelito toda la noche.

El susto me lo llevé cuando Can me despertó ladrando como un loco. ¡Vestida de Lechuza no me había reconocido!

Me quité la capa, los guantes y las garras a toda velocidad. Conseguí meterlo todo en la mochila, debajo de la cama, antes de que llegaran mi padre y Marcos.

—¿Qué escándalo es este, Can? ¿Se puede saber qué te pasa? ¡Ni que hubieras visto a un fantasma!

Mi padre, descalzo, en pijama y despeinado está supergracioso, lo tendríais que ver.

—Buenos días, Carla. ¿Qué tal te encuentras? Tienes mejor cara... Ahora mismo voy a traerte el desayuno con el jarabe que te mandó el médico. Seguro que hoy tienes más hambre, ¿verdad?

Sonreí y me puse colorada como un tomate. Había logrado por los pelos salvaguardar mi identidad secreta. Bueno, aunque no del todo...

Antes de ir a prepararme el desayuno, mi padre se volvió y me dijo:

—Por cierto, tenías razón, ese pijama gris que compraste te queda de cine.

Me guiñó el ojo y desapareció por la puerta de mi habitación.

EL VUELO DE LA LECHUZA

Estaréis conmigo en que lo mejor de ponerse enferma es quedarse en la cama. ¡Y no os digo nada de disfrutar de la cama y estar perfectamente sana! Es genial. Todos a tu alrededor se desviven por ti, mimándote continuamente, y tú ya estás disfrutando en plena forma.

Me gusta que de vez en cuando mi padre me llame «princesa», que mi hermano Marcos no me ignore todo el rato como hace en la vida real, y que Can no se despegue ni un segundo de los pies de mi cama. Ser la reina de la casa por un día, después de haberte encontrado fatal, no está nada mal...

—¿Está bueno el desayuno? Solo te he puesto un cruasán pequeñito. No quiero que te siente mal. Tienes mejor cara, pero no me fío...

Papá me había llevado el desayuno a la habitación y lo estaba devorando, ¡tenía hambre! ¡El traje funcionaba! ¡Ya estaba recuperada!

ME HE ENCONTRADO EN LA PANADERÍA CON LA MADRE DE TU AMIGO CÉSAR ULISES Y ME HA ECHADO LA BRONCA POR NO AVISARLE DE QUE TE HABÍAS PUESTO ENFERMA. ME HA DICHO QUE SU HIJO PRONTO TE DEVOLVERÁ LA VISITA. ¡MENUDA MUJER! NO PARA DE HABLAR... DE TODAS MANERAS YA ES RARO QUE TODOS OS HAYÁIS PUESTO ENFERMOS A LA VEZ, ¿NO?

A media mañana llamaron al timbre mientras estaba releyendo *El caso del loro tartamudo*, del Detective Misterio.

Tenía ganas de volver a ver a Ratón, aunque no sabía si contarle o no la existencia de la Lechuza Detective. Mi abuelo me había hecho jurar que iba a usar el traje con responsabilidad. Tal vez tendría que mantenerlo en secreto. Más adelante, quizás algún día, quién sabe...

Aun así, me moría de ganas de hablar con Ratón de «nuestro caso». Seguía sin comprender cómo habíamos tenido los mismos síntomas si yo no había tomado las barritas energéticas de kárate. ¿Y la Banda del Cole? ¿Por qué no actuaban de una vez? Había demasiadas piezas sueltas en este asunto.

Desde la cama oí a mi padre decir: «Es esa puerta, pasad. Os está esperando». Al instante, Ratón asomó la cabeza por la puerta de mi habitación.

—¿Se puede pasar? ¿Estamos a salvo contigo? ¿Cómo sé que eres tú y no un robot con el aspecto de Carla? —Ratón sonrió con picardía.

—Muy gracioso, Ratón. Podéis pasar, no temáis... ¿Vienes con tu madre, no?

—¿Mi madre? Qué va, te he traído una sorpresa que te va a dejar... ¡patidifusa!

Ratón y su vocabulario. Si no había venido con su madre, ¿con quién había venido? ¿Y qué significaba eso de darme una sorpresa? No entendía nada.

—Pasa, Aitana, no te quedes ahí, que lo del robot era broma...

¡Aitana! ¡No podía ser! No tenía ni idea de lo que significaba «patidifusa», pero tendría que ser algo así como «¡si me pinchan no me sale sangre!»

—Después del cine nos fuimos a tomar un batido con nuestros padres y nos lo pasamos bomba —continuó diciendo Ratón—. Estaba deseando que llegara el lunes para contártelo todo, pero cuando mi madre me ha dicho que estabas enferma, he llamado a Aitana para venir juntos a verte.

Cuando se me quitó la cara de «patidifusa» les pedí que se sentaran. ¡Lo pasamos fenomenal! Estuvimos charlando y riendo un buen rato hasta que llegó la hora de comer y se marcharon a sus casas.

Ratón tenía razón. Me había dejado llevar por mis fantasías y por los prejuicios. César Ulises no era repelente y Aitana no era tan «princesita», ni pensaba solo en unicornios, como todos decían. Una buena detective no puede basarse en las apariencias.

Me había equivocado, pero ahora sabía perfectamente cómo resolver el caso. No tenía que ir detrás de ninguna banda de ladrones. El asunto no era tan espectacular. Pero de todas formas tenía que descubrir en el colegio el origen del mal, la fuente de todas las intoxicaciones.

¡Tenía que evitar que más alumnos cayeran intoxicados! ¡Era mi deber! ¡El deber de la Lechuza Detective!

¡La Lechuza Detective en acción!

ESPERÉ A QUE TODOS VOLVIERAN A ESTAR DORMIDOS. ¡ERA LA HORA DE ACTUAR!

SALTÉ AL VACÍO. ¡PODÍA VOLAR!

FLOP FLOP FLOP

¡MIAU!

CRAC

BUENO... MÁS O MENOS...

AL FINAL DECIDÍ IR A PIE HASTA EL COLE. MENOS MAL QUE EL TRAJE FUNCIONABA MUY BIEN CONTRA LOS PORRAZOS.

COMO ERA DE SUPONER, LA VERJA ESTABA CERRADA... ESO NO ERA UN PROBLEMA PARA LA LECHUZA DETECTIVE.

¡ALEHOP!

FUE MUY FÁCIL COLARME EN EL COMEDOR A TRAVÉS DEL PATIO. TENÍA QUE BUSCAR ALIMENTOS EN MAL ESTADO. CON MI VISTA DE LECHUZA, AQUELLO ESTABA CHUPADO.

SIN EMBARGO, ALLÍ NO HABÍA NADA DE COMIDA. YA DECÍA YO QUE TODO NO PODÍA SER TAN SENCILLO.

"Debido a la investigación de las intoxicaciones de algunos alumnos y hasta que no se solucione el problema, únicamente se cocinarán alimentos frescos del día y el frigorífico se mantendrá precintado y vacío.
Firmado: La Dirección."

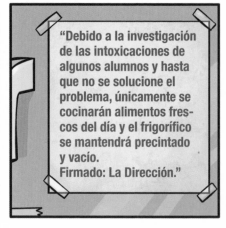

"Debido a la investigación de las intoxicaciones de algunos alumnos y hasta que no se solucione el problema, únicamente se cocinarán alimentos frescos del día y el frigorífico se mantendrá precintado y vacío.
Firmado: La Dirección."

QUÉ RARO... ¿CÓMO HABRÁ PODIDO UN PÁJARO ABRIR ESTA VENTANA?

¡UN MOMENTO!

¡LO QUE TODOS BEBEMOS!

¡EL AGUA!

CON MIS OJOS DE LECHUZA, AHORA LO VEÍA TODO CLARO.

DELANTE DE MÍ TENÍA «LA FUENTE DE TODAS LAS INTOXICACIONES».

AL FINAL, EL PRIMER ARCHIENEMIGO DE LA LECHUZA
DETECTIVE NO ERA NINGUNA AMENAZA COMO
LAS QUE SALEN EN LOS CÓMICS...

VOLVERÍA A CASA
TRIUNFAL Y EMPAPADA.
SABÍA QUE GRACIAS A MI CAPA NO
AGARRARÍA UN RESFRIADO PERO... ¡RAYOS!,
¡SI MI PADRE SE ENTERA DE TODO ESTO, ME MATA!

LA JUSTICIA
ESTÁ SERVIDA

Por la mañana me desperté más temprano de lo normal.

Era lunes, y aunque sé que suena fatal, por primera vez en mi vida tenía unas ganas terribles de ir al colegio.

¡Resultaba todo tan increíble!

El traje de lechuza descansaba de su primera salida dentro de un cajón secreto del armario, donde a partir de ahora se mantendría escondido a la espera de volver a utilizarlo en nuevas aventuras.

Antes de bajar a desayunar escribí una nota y firmé por primera vez con mi identidad secreta.

Cogí mi mochila y comprobé que llevaba un botellín de agua vacío.

¡Estaba tan emocionada!

¡Había resuelto mi primer caso y por fin podía darme a conocer!

Camino del colegio, cogida de la mano de mi padre, aceleré el paso.

—Madre mía, Carla, ¡me estás dejando alucinado! ¡Cualquiera diría que te mueres de ganas por ir al colegio! Hija mía, no sabes lo contento que me tienes últimamente...

Cuando bajamos al recreo me di cuenta de que la nota de la Lechuza Detective había surtido efecto. Al llegar al cole temprano, conseguí colarla por debajo de la puerta del despacho de la directora sin que nadie me viera.

Ratón, Aitana y yo llegamos a la fuente con todos los demás. Unos operarios estaban precintando el grifo y habían colocado unas vallas alrededor para que nadie se acercara.

A un lado, la directora estaba discutiendo con el conserje mientras con una mano le enseñaba mi nota. Aunque nadie lo sabía, estaban hablando de mí. O mejor dicho: ¡de la Lechuza Detective!

—Chicos, haced el favor. Esta fuente está inutilizada. Aquí no hay nada que ver... Id a jugar, que aquí lo único que hacéis es molestar...

Uno de los obreros parecía estar molesto ante tanta expectación.

«¿Pero por qué cierran la fuente?»

«¿Ya no se puede beber?»

«¿La van a quitar para siempre?»

El silbato de la directora nos dejó sordos a todos y pusimos la misma cara que cuando nos pisan un dedo del pie.

Se hizo el silencio.

—Esta fuente es peligrosa y hasta que no esté arreglada no se podrá volver a beber de ella. Parece que un sapo quedó atrapado en sus conductos y ha producido la intoxicación de la que llevábamos tiempo preocupados. Afortunadamente, hemos dado con ella. A partir de ahora, y gracias al equipo de dirección, ningún alumno volverá a estar en peligro. Bien, y ahora no quiero ver a ningún alumno a menos de diez metros de la fuente.

Volvió a dejarnos sordos con el silbato y nos dispersamos.

¡No me lo podía creer! Había dicho que todo era «gracias al equipo de dirección». ¡Qué injusticia! ¡Qué cara más dura! Si no llega a ser por la nota que le había dejado por la mañana todavía estarían sin saber qué provocaba las intoxicaciones.

Me daba tanta rabia...

—¿Qué te pasa, Carla? —dijo Ratón—. ¿A qué viene esa cara de enojo? ¡Es un alivio saber por fin por qué nos poníamos malos! Como diría el Detective Misterio: «Caso resuelto y cerrado, descanso asegurado». Aunque esta investigación la haya llevado a buen término la directora y no nosotros...

No sé lo que significa «enojo», pero supongo que debe ser algo parecido a cuando te enfadas tanto que echas humo por las orejas como si fueras una lo-comotora. No podía más. ¡Había resuelto el caso pero no lo podía decir! ¡Era superinjusto! Solo el Detective Misterio podía entender lo duro que es mantener el anonimato cuando eres superhéroe...

—Lo que le pasa a Carla es que le parecía mucho más emocionante lo de la banda de ladrones karate-kas. ¡Como a mí! —dijo Aitana—. ¡Molaba mucho más!

Caminando por el patio, pasamos enfrente de un banco en el que estaba sentado el hermano de Edel-miro con sus amigos. Cuando me vio, me señaló y empezó a hacer el tonto imitando a un karateka. Sus amigos se partían de risa.

—No hagas caso —dijo Ratón mirando de reojo—. Desgraciadamente, hay algunos que nunca cambian...

¡VAYA, MIRA QUIÉN VIENE POR AQUÍ! ¡NUESTRA FRIKI FAVORITA!

SIEMPRE DISPUESTA A COMPARTIR SU ALMUERZO CON LOS DEMÁS. ¿VERDAD, CARLA?

Ratón tenía razón, hay algunos que parece imposible que puedan cambiar. Sonreí.

—Hola, Isidro. Te estaba esperando... Hoy toca sándwich de jamón york. Ya sabes que yo también he estado mala por beber de la fuente...

—A ver, déjame ver en la mochila. Mira, qué previsora, la friki se ha traído un botellín de agua de casa, ¿eh? Para que luego digan que no eres lista. Bien, hoy, para prevenir, y hasta que estés perfectamente recuperada, deberás seguir una dieta estricta... —cogió el sándwich y el botellín y me devolvió la mochila— ¡a base de aire!

Ratón y Aitana estaban paralizados mientras yo seguía sonriendo.

Como si nada hubiera pasado, los tres continuamos andando en silencio hacia las escaleras.

Nos acercamos a un corrillo en el que estaban cambiando cromos y Aitana se apartó un momento para ver si conseguía los dos «unicornios zombis» que le faltaban para completar la colección.

Cuando Ratón y yo nos quedamos solos, sentados en las escaleras esperando a que sonara la sirena para subir a clase, por fin se decidió a hablar.

—Carla, ese botellín que te ha quitado Isidro... —me dijo mirando al suelo—, ¿es el mismo botellín que te he visto rellenar de la fuente esta mañana antes de empezar las clases?

Le sonreí.

—Vaya. Lo que imaginaba. Y... —Tosió un poco sin despegar la vista de las escaleras de granito— ¿ha sido una casualidad o ya sabías que la fuente estaba intoxicada y que Isidro te iba a quitar la botella?

Ratón era genial. No importaba que nadie conociese todavía a la Lechuza Detective. Ya habría tiempo. Esto no había hecho más que comenzar...